COMO SI EL RUIDO
PUDIERA MOLESTAR

COMO SI EL RUIDO PUDIERA MOLESTAR

GUSTAVO ROLDÁN

Ilustraciones de Luis Scafati

GRUPO
EDITORIAL
norma

Barcelona, Bogotá, Buenos Aires, Caracas,
Guatemala, México, Miami, Panamá, Quito, San José,
San Juan, San Salvador, Santiago de Chile.

CONTENIDO

COMO SI EL RUIDO PUDIERA MOLESTAR

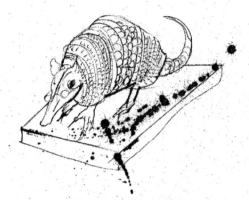

Fue como si el viento hubiera comenzado a traer las penas. Y de repente todos los animales se enteraron de la noticia. Abrieron muy grandes los ojos y la boca, y se quedaron con la boca abierta, sin saber qué decir.

Es que no había nada que decir.

Las nubes que trajo el viento taparon el sol. Y el viento se quedó quieto, dejó de ser viento y fue un murmullo entre las hojas, dejó de ser murmullo y apenas fue una palabra que corrió de boca en boca hasta que se perdió en la distancia.

Ahora todos lo sabían: el viejo tatú estaba a punto de morir.

Por eso los animales lo rodeaban, cuidándolo, pero sin saber qué hacer.

–Es que no hay nada que hacer –dijo el tatú con una voz que apenas se oía–. Además, me parece que ya era hora.

Muchos hijos y muchísimos nietos tatucitos miraban con una tristeza larga en los ojos.

–¡Pero, don tatú, no puede ser! –dijo el piojo–, si hasta ayer nomás nos contaba todas las cosas que le hizo al tigre.

–¿Se acuerda de las veces que lo embromó al zorro?

–¿Y de las aventuras que tuvo con don sapo?

–¡Y cómo se reía con las mentiras del sapo!

Varios quirquinchos, corzuelas y monos muy chicos, que no habían oído hablar de la muerte, miraban sin entender.

9

—¡Eh, don sapo! —dijo en voz baja un monito—. ¿Qué le pasa a don tatú? ¿Por qué mi papá dice que se va a morir?

—Vamos, chicos —dijo el sapo—, vamos hasta el río, yo les voy a contar.

Y un montón de quirquinchos, corzuelas y monitos lo siguieron hasta la orilla del río, para que el sapo les dijera qué era eso de la muerte.

Y les contó que todos los animales viven y mueren. Que eso pasaba siempre, y que la muerte, cuando llega a su debido tiempo, no era una cosa mala.

—Pero don sapo —preguntó una corzuela—, ¿entonces no vamos a jugar más con don tatú?

—No. No vamos a jugar más.

—¿Y él no está triste?

–Para nada. ¿Y saben por qué?

–No, don sapo, no sabemos...

–No está triste porque jugó mucho, porque jugó todos los juegos. Por eso se va contento.

–Claro –dijo el piojo–. ¡Cómo jugaba!

–¡Pero tampoco va a pelear más con el tigre!

–No, pero ya peleó todo lo que podía. Nunca lo dejó descansar tranquilo al tigre. También por eso se va contento.

–¡Cierto! –dijo el piojo–. ¡Cómo peleaba!

–Y además, siempre anduvo enamorado. También es muy importante querer mucho.

–¡El sí que se divertía con sus cuentos, don sapo! –dijo la iguana.

–¡Como para que no! Si más de una historia la inventamos juntos, y por eso se va contento, porque le gustaba divertirse y se divirtió mucho.

–Cierto –dijo el piojo–. ¡Cómo se divertía!

–Pero nosotros vamos a quedar tristes, don sapo.

–Un poquito sí, pero... –la voz le quedó en la garganta y los ojos se le mojaron

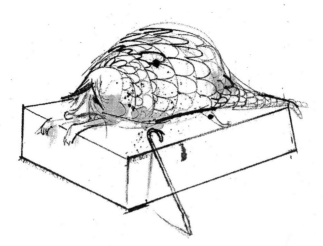

al sapo–. Bueno, mejor vamos a saludar-
lo por última vez.

–¿Qué está pasando que hay tanto silencio? –preguntó el tatú con esa voz
que apenas se oía–. Creo que ya se me
acabó la cuerda. ¿Me ayudan a meterme
en la cueva?

Al piojo, que estaba en la cabeza del
ñandú, se le cayó una lágrima, pero era
tan chiquita que nadie se dio cuenta.

El tatú miró para todos lados, después
bajó la cabeza, cerró los ojos, y murió.

Muchos ojos se mojaron, muchos dien-
tes se apretaron, por muchos cuerpos
pasó un escalofrío.

Todos sintieron que los oprimía una piedra muy grande.

Nadie dijo nada.

Sin hacer ruido, como si el ruido pudiera molestar, los animales se fueron alejando.

El viento sopló y sopló, y comenzó a llevarse las penas. Sopló y sopló, y las nubes se abrieron para que el sol se pusiera a pintar las flores. El viento hizo ruido con las hojas de los árboles y silbó entre los pastos secos.

–¿Se acuerdan –dijo el sapo– cuando hizo el trato con el zorro para sembrar maíz?

EL DÍA QUE SE INVENTÓ
EL AÑO NUEVO

El coatí, la iguana, el tordo, el tapir, el picaflor y la paloma andaban revoloteando de un lado para el otro. Apurados, nerviosos, un poco sin saber qué hacer, se atropellaban a cada rato.

—¡Que se nos viene, que se nos viene encima! ¡Y todavía no terminamos los preparativos! –dijo la perdiz.

—¿Siempre se viene tan de golpe? –preguntó el picaflor, que no sabía nada del asunto.

—¿Quién hace el Año Nuevo? –dijo un pichón de paloma que acababa de salir del cascarón.

Como era época de pichones, el piar y los aleteos de torditos, horneros, carpinteros y palomitas se convirtió de repente en silencio. Eso era algo que a ninguno se le había ocurrido.

El sapo llegó justo para escuchar la pregunta.

–¿Que quién hace el Año Nuevo? Bueno, no hay muchos que sepan eso.

–¿De dónde salen los años? –preguntó el coatí acercándose a la rueda que ya se había formado alrededor del sapo.

–Es una vieja historia, casi de cuando comenzó el mundo.

–¡Cuente, cuente, don sapo! –dijeron a coro–. ¿Cómo eran antes los años?

–Uff... ahí andaban, viejos y arrugados, sin ánimo para nada, más gastados que plumas de víbora.

–Pero, don sapo –dijo la cotorrita verde–, las víboras no tienen plumas.

–Claro que no. Eso es lo que dije. Se les gastaron de tanto esperar, y al final se quedaron sin plumas para siempre.

–¿Y en esa época no había Años Nuevos?

–¡Era más aburrido que portarse bien! No había fiestas, ni cohetes, ni luces de bengala, ni estrellitas, ni buscapiés. Un aburrimiento, qué quiere que le diga.

–¿Y qué hacían cuando llegaba la medianoche?

–Dormían a pata suelta. Ni se imaginaban que se podía hacer otra cosa.

–¡Qué feo! –dijo el coatí.

–¡Qué triste! –dijo la cotorrita verde.

–A los que tenemos patas largas –dijo el piojo arriba del avestruz–, eso no nos gusta nada. Nosotros queremos estar siempre de fiesta.

–¿Y qué pasó, don sapo?

–Pasó lo que tenía que pasar. Los sapos pensamos que las cosas no andaban bien y había que hacer algo.

La rueda que escuchaba al sapo era cada vez más grande. Hasta el tigre estaba con los ojos redondos y las orejas paradas para no perderse ni una palabra.

–¿Y entonces, don sapo?

–Ahí nomás pusimos las manos en la masa.

–¡Ah, comenzaron a trabajar! –dijo el picaflor.

–No, m'hijo, pusimos las manos en un plato de masas, para darnos fuerza.

–¿Y después?

–Después pensamos y probamos un montón de ideas, pero no pasaba nada. No era fácil el asunto.

–¿Y no aflojaron?

–¿Aflojar? Los sapos no aflojamos nunca. Somos bichos de pelea.

–¡Cuente alguna pelea, don sapo! –gritó el tordo pichón.

Mil ojos lo miraron fijo, y el pichoncito supo que había metido la pata.

–Hágame acordar otro día, m'hijo –le dijo el sapo–, no se va a quedar con las ganas.

–Siga, siga, don sapo –dijeron todos–. ¿Qué pasó con el Año Nuevo?

–Despacito, despacito, que un Año Nuevo no se hace de una escupida. Seguimos trabajando, hasta que al final se resolvió todo en una explosión.

–¡Se le prendió la lamparita! –dijo el coatí.

–No, una explosión. Inventamos los cohetes.

–¡Los cohetes! –exclamaron todos.

–Claro, y las cañitas voladoras y los buscapiés y las estrellitas y las luces de bengala y los rompetroncos.

–¿Los rompetroncos?

–Ahora se llaman rompeportones, pero entonces no había portones y se llamaban rompetroncos.

–Sí, sí –dijo el piojo, impaciente–, pero ¿qué pasó después, cómo hicieron el Año Nuevo?

–Ahí estoy llegando. Entonces nos juntamos los sapos y a la medianoche, todos juntos, tiramos un millón de cohetes, de cañitas voladoras y llenamos el cielo de luces de bengala.

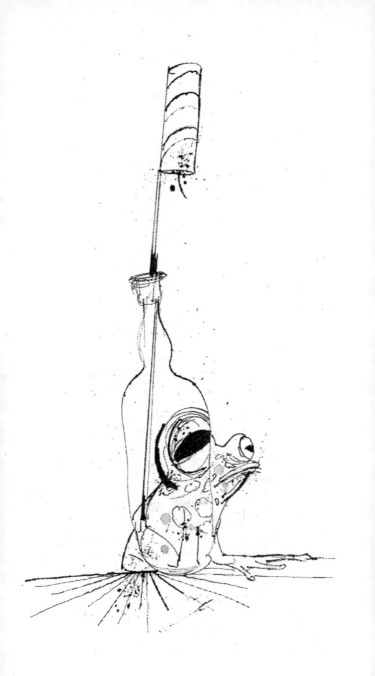

–¿Y llegó el Año Nuevo? –preguntó el piojo, que estaba a los saltos de los nervios.

–Sobre el pucho. Más nuevito que nunca.

–¿Y desde entonces llega todos los años?

–No, m'hijo. Llega si lo llamamos. Ése es un trabajo que nos pusimos los sapos.

–¿Y si alguna vez no pueden? ¿Y si se olvidan?

–Bah, no hay problema. Siempre va a seguir llegando porque tenemos millones de ayudantes.

–¿Dónde, don sapo? ¿Quién los ayuda?

–Los chicos. Los chicos de todo el mundo. Nunca se olvidan, y tiran cohetes y cañitas voladoras y gritan y se ríen, y el Año Nuevo viene sin perder ni un instante.

Al piojo le corría una lágrima de emoción, y todos los bichos se rascaban porque la pulga, de puros nervios, saltaba de uno a otro picándolos.

–Bueno bueno, a no perder tiempo –dijo el sapo–, hay que terminar con los preparativos.

Los bichos salieron contentos y fueron para todos lados a preparar la fiesta.

El sapo quedó sentado, descansando, y murmurando en voz baja:

—Ja, si sabrá de Años Nuevos este sapo.

ANIMAL DE PELEA

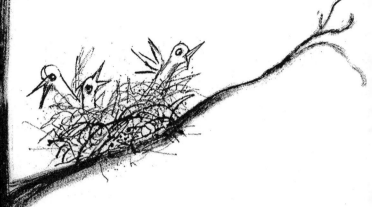

Las flores comenzaron a abrirse y a perfumar el monte, los primeros rayos del sol se metían entre las ramas de los árboles, y en cada nido dos o tres pajaritos revoloteaban con entusiasmo.

Había llegado el verano y era la época de los pichones. Querían salir de sus nidos, querían cantar, querían hacer su primer vuelo.

Era una buena mañana para aprovecharla bien. Y la aprovechaban bien.

En eso pasó el sapo.

–¡Eh, don sapo, no se olvide de su promesa! –le gritó el tordito.

–¡Usted dijo que nos iba a contar una pelea! –gritaron los horneros, los cardenales y un montón de pichones más.

–¡Queremos que cuente! ¡Queremos que cuente!

–¡Usted dijo que era un animal de pelea!

–¿O eran mentiras, don sapo?

–¿Mentiras? No me enojo porque ustedes son muy jovencitos, pero todo el monte sabe que este sapo jamás dijo una mentira.

–¡Y yo soy un buen testigo! –gritó el piojo, que llegaba en ese momento, parado en la cabeza del ñandú–. Don sapo nunca dijo una mentira, y si no es cierto, que me caiga ya mismo de aquí arriba.

¡Paff!, hizo el ruido. El piojo se levantó sacudiéndose la tierra.

–¿Les gustaría una pelea con un tigre? –dijo rápido el sapo para disimular.

–¡Eso, eso! ¡Queremos una pelea con

un tigre! –gritaron los picaflores, los tucanes y mil pichones más.

–Resulta que una vez me encontré con un tigre –comenzó el sapo–, y perdonen si me tiembla la voz, pero es recordando el miedo.

–¿Tuvo miedo, don sapo?

–No, pienso en el miedo del tigre.

–¿Cómo fue, don sapo?

–Yo andaba paseando en medio de un campito, cuando de repente oigo un tremendo rugido.

–¿Cómo era el rugido? –preguntó el picaflor.

–¡Largo y tenebroso! ¡Hacía temblar la tierra!

–¡Eh, don sapo, cómo va a temblar la tierra por un rugido!

–Yo hablo de lo que sé. Sentí que se me movían las patas temblando, entonces me dije: aquí tiembla la tierra.

–¿Y qué pasó?

–Miré para un lado y para el otro. Para un lado estaba un árbol altísimo, y para el otro estaba el tigre.

–Y usted se fue para el otro.

–No, ¿no le dije que en el otro estaba el tigre? Yo me fui para el uno.

–¿Y qué hizo el tigre?

–Por la forma en que rugía se ve que tenía un miedo grande.

–¿Y...?

–Me fui y me subí al árbol altísimo.

–¡Eh! –dijo el loro pichón–, ¡los sapos no suben a los árboles!

—Bueno, m'hijo, ¿usted es amigo mío o amigo del tigre?

—¡Siga, don sapo! ¿Qué pasó después? ¿La historia tiene muchas vueltas?

—Eso. Ni le cuento las vueltas. Porque el tigre se puso a dar vueltas alrededor del árbol. Rugía y arañaba la tierra levantando pedazos. Y daba vueltas y más vueltas.

—¿Y no se mareaba?

—No. Era pícaro ese tigre, porque después daba vueltas para el otro lado. Y seguía déle zarpazos arañando la tierra y haciéndola volar para todos lados.

—¿Y usted qué hacía?

—Sentado arriba del árbol miraba y calculaba la tierra que hacía saltar el tigre.

—¿Pasó mucho tiempo?

—Tres días y tres noches. Al final me aburrí y me bajé del árbol.

—¡Se bajó, don sapo! ¿Y qué hizo?

—Salté la zanja y me fui.

—¿Zanja? ¿Qué zanja?

—La que había cavado el tigre de tanto dar vueltas. Honda era la zanja, y ahí, en el fondo, seguía rugiendo y dando vueltas.

–¡Qué valiente es usted, don sapo! –dijo el picaflor.

–¡Qué quiere que le diga! –dijo el sapo mientras se iba a los saltos–. Son cosas que pasan cuando uno es un animal de pelea.

EL TAMAÑO DEL MIEDO

El coatí llegó corriendo a todo lo que daba.

Miró para atrás con cara de susto, y se quedó jadeando, pegadito al sapo y al oso hormiguero.

–¡Don sapo, qué susto! ¡Don oso hormiguero, no se imagina el tamaño que tenía! ¡Y me miraba con unas ganas!

–¡Tranquilo, chamigo! –dijo el sapo–, y vaya contando despacito.

–¡Es que era muy grande, más que muy grande!

–Sí, claro, ya sabemos que era grande,

pero ¿qué era eso que lo asustó tanto?

–¡Y me miraba con unos ojos que echaban chispas!

–Sí, sí, ¿pero qué era?

–¡Y abría una boca del tamaño de un pozo!

–Sí, claro. ¿Quién tenía esa boca?

–¡Y sacaba una lengua como de diez metros de largo!

–¡La flauta! ¿Quién tenía esa lengua tan larga?

–¡Ay, don sapo! ¡Ay, don oso! ¡Pensé que ya estaba muerto del todo!

–Bueno, pero ya pasó. Ahora estás entre amigos y no hay ningún peligro. ¿Pero... cuál era ese monstruo?

–¡Ay, don sapo, usted no se imagina!

–Si no me lo contás... Estás dando demasiadas vueltas, coaticito.

–¡Y las garras, don sapo! ¡Las garras que tenía!

Mientras el coatí se tapaba los ojos como para no seguir viendo a ese monstruo, el oso hormiguero le preguntó al sapo:

–¿Habrá sido una víbora?

—No, no puede ser, porque las víboras no tienen garras.

—¿Habrá sido un tigre?

—No, porque los tigres no tienen una lengua larguísima.

—¿Sería el yacaré?

—No, porque los ojos de los yacarés no echan chispas.

El coatí, temblando, miraba para todos lados.

—Bueno, coaticito —dijo el sapo—, quedáte tranquilo que aquí estamos el oso hormiguero y yo para cuidarte.

–¡Ay don sapo, el tamaño que tenía! ¡El ruido que hacía cuando caminaba! ¡Los rugidos que pegaba! ¡Eran como un viento quebrando las ramas de los árboles! ¡Qué susto! ¡Todavía estoy temblando hasta la punta de la oreja!

–Ya me voy dando cuenta –dijo el sapo pensativo–. ¿Y tenía una cola muy larga, como un látigo?

–Sí sí, don sapo, seguro que sí.

–¿Y la punta de la cola echaba chispas?

–¡Sí sí, unas chispas enormes!

–¿Y estaba en medio de una oscuridad muy grande?

–¡Eso, don sapo, tan oscuro que no se veía nada!

–¿Y vos no podías verte ni la nariz?

–Eso, no podía ver nada de nada.

–¿Y ahí fue cuando comenzó a soplar un viento muy fuerte?

–Sí, don sapo, un viento que parecía el rugido del tigre.

–Bueno, me parece que ya sé cuál era ese bicho, y no es para andar temblando más.

–¿Cuál era? –preguntaron juntos el oso hormiguero y el coatí.

–Un bicho muy famoso, pero no hay que preocuparse.

–¿Y cómo se llama ese bicho?

–El miedo se llama. Lo conocí por el tamaño.

–¡El miedo! ¿Y es muy peligroso?

–Para nada, m'hijo, una vez que se lo conoce.

–¿No es venenoso?

–Ni un poquito.

–¿A usted se le apareció alguna vez, don sapo?

–Más de una, m'hijo, y así lo fui conociendo.

–¿Era igual que ese miedo que vi yo?

–Igual, pero todo distinto.

–Eh, don sapo –dijo el oso hormiguero–, ¿cómo es eso de igual pero distinto?

–Porque así son estas cosas, y el miedo de cada uno es como el miedo de cada uno.

–¿Entonces no era un bicho, don sapo?

–No. Era un miedo nomás.

–¡Si usted viera cómo me asustó!

–Ya sé cómo son esas cosas. La cuestión es animarse y pelearlo. ¿Acaso

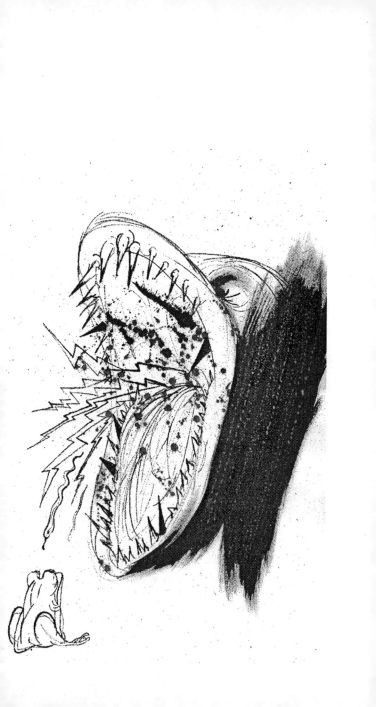

nunca oyeron decir que hay que vencer el miedo?

–Claro que sí, lo oímos muchas veces.

–¿Y quién se creen que inventó esa frase?

–¡No me diga que fue usted, don sapo!

–¿Quién si no?, pero primero tuve que enfrentarlo en una pelea a muerte. Me acuerdo como si fuera ayer. Me había agarrado en medio de la oscuridad y pegaba unos rugidos que iluminaban la noche.

–"Rugidos que iluminaban la noche"... Don sapo, usted es un poeta.

–Así era el miedo ése, no les miento. Respiré hondo y lo atropellé mirándolo fijo. Ya me había cansado de andar disparándole.

–¿Y el miedo qué hizo?

–Tendrían que haberlo visto, se fue achicando y achicando, hasta que desapareció como un humo. Y ahí lo hice volar de un soplido.

–¡Añamembuí! Eso sí que me deja contento –dijo el coaticito–. Usted sí que es valiente, don sapo.

–No crea, m'hijo, lo que pasa es que ahí había cambiado el tamaño del miedo.

El sapo comenzó a alejarse silbando un chamamé.

–Eh, don sapo –lo llamó el coaticito–, una última pregunta. Cuando me agarre de nuevo, primero tengo que respirar hondo, ¿no?

–Eso, m'hijo, y largar el aire de golpe, y atropellar, y ahí es donde cambia de tamaño.

–¿Siempre cambia de tamaño?

–Siempre. Eso es seguro.

–¿Y si en vez de achicarse se agranda?

–Fácil –dijo el sapo mientras se alejaba–, en ese caso respire más hondo todavía y atropelle más fuerte, pero para el otro lado. Y no afloje hasta que se le duerman las patas. Ja, si sabrá de miedos este sapo.

HISTORIA DEL ALACRÁN

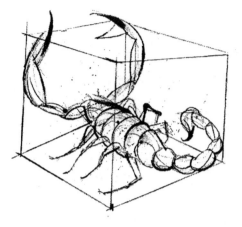

En el atardecer el jacarandá brillaba como nunca. Todo el árbol era un inmenso ramo azul lleno de pájaros, y el suelo estaba teñido por las flores que iban cayendo.

Como por arte de magia los animales habían desaparecido. La cotorrita verde había pasado el aviso de que venía el puma.

Serio, solemne, el puma llegó hasta el jacarandá y largó un tremendo rugido que hizo caer otro millón de flores. Y claro, la mitad cayó arriba del puma, que volvió a rugir con más rabia.

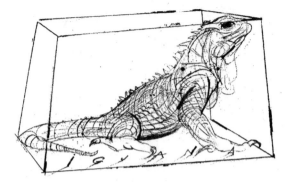

Se sacudió, rugió nuevamente, y se alejó rapidísimo porque ya le caía otro montón de flores.

Como por arte de magia todos los animales aparecieron de nuevo.

—¡Qué carácter! —dijo la iguana.

—¡Qué temperamento! —exclamó el quirquincho.

—¡Qué idiosincracia! —dijo la lechuza, que siempre quería parecer más culta.

—¿Temperamento? —dijo el sapo—. Eso no es nada, m'hijo. El que sabía ser bicho con temperamento era el alacrán.

—Los que tenemos patas largas —dijo el piojo parado en la cabeza del ñandú—, también tenemos nuestro temperamento.

–Sí, claro, y no va a ser este sapo el que lo desmienta, pero temperamento, lo que se dice temperamento, era el que tenía el alacrán.

–¿Más que el puma?

–Lejos más.

–¿Más que el tigre, don sapo?

–Muchísimo.

–¿Más que la yarará? Mire que es famosa por su temperamento.

–¡Uff, lejos!

–¡Qué lo tiró! ¡Eso sí que debe ser temperamento! –dijo el oso hormiguero.

–Les voy a contar la última aventura del alacrán.

–¡Déle, don sapo! ¡Queremos un cuento! –gritaban todos.

–Me acuerdo como si fuera ayer. Era una siesta muy calurosa. No sé si ustedes sabrán, pero calores, lo que se dice calores, eran los de antes. Les voy a contar cómo eran los calores de antes.

–No se aparte de la huella, don sapo. Usted nos iba a contar otra cosa –dijo el quirquincho.

–Tiene razón, amigo, y ahí va la aventura del alacrán. El río estaba crecido, y era un gusto verlo tan grande, porque crecientes, lo que se dice crecientes, eran las de antes. Les voy a contar cómo eran.

–¡Otra vez, don sapo! ¡Se nos va del cuento! –dijo la cotorrita verde.

–Tiene razón, m'hija. No va a ser este sapo el que no le dé la razón. El que nunca le daba la razón a nadie era el yacaré. ¡Bicho cabeza dura el yacaré! Con decirle que una vez se hizo un concurso para ver quién era el más cabeza dura...

–¿Y el alacrán, don sapo? –gritó el piojo–. ¿Qué pasa con el alacrán?

–Se ve que hoy ando un poco distraído, casi tan distraído como el tapir, porque el tapir sí que sabía ser distraído. Con decirles que una vez...

–¡El alacrán, queremos la historia del alacrán! –gritaron todos.

A esa altura ya estaba medio mundo rodeando al sapo, entusiasmados por el cuento que se venía. Y como eso era lo que el sapo esperaba comenzó la historia.

–Esa vez el alacrán tenía unas ganas enormes de cruzar el río, pero como no sabía nadar necesitaba la ayuda de alguien. Esperó un rato y al primer pez que pasó le dijo:

–¡Eh, don moncholo, necesito un favor! Quiero que me cruce al otro lado del río.

–¡Ni loco! –dijo el moncholo, y se alejó rápidamente.

Después pasó un dorado, que ni siquiera lo dejó terminar de hablar al alacrán. Y lo mismo fue con el pacú y el patí.

La mojarrita fue más clara:

–Mire, don alacrán, lo que pasa es que yo tengo miedo. Me da un miedo atroz ese aguijón envenenado que tiene usted. Y además, ¡con su temperamento!

–¡Pero mojarrita, es un favor tan chiquito!

–Sí, sí, el favor es chiquito, pero el miedo que tengo es muy grande.

Y la mojarrita se zambulló en el río.

El alacrán siguió hablando con cada uno de los peces que pasaban, pero ni siquiera se quedaban a escucharlo.

Al final habló con el surubí.

–Mire, don surubí, ya sé que me tienen miedo, pero tengo unas ganas enormes de cruzar al otro lado del río y necesito que usted me lleve.

–Entiendo, don alacrán, pero usted, ¡con su temperamento! ¿Y si me pica?

–No puede ser, porque en ese caso yo me ahogaría. Ya ve que no corre ningún peligro. Usted está a salvo porque yo también me juego la vida. ¿Qué haría yo solo en medio del río?

–Es un buen argumento –dijo el surubí–, suba, que lo llevo.

El alacrán pegó un salto, trepó en el surubí, y partieron hacia otro lado del río.

–Amigo surubí –dijo el alacrán–, no se imagina la gauchada que me hace.

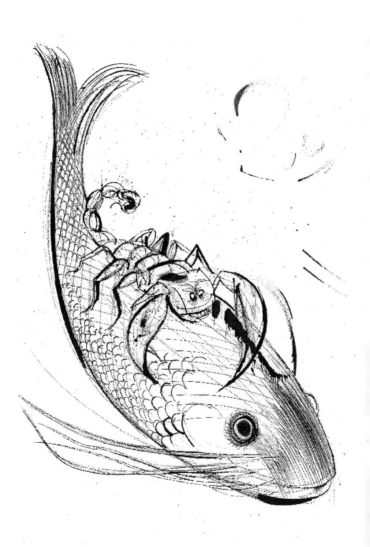

¡Me pasé la vida buscando que alguien me ayude a cruzar el río!

El surubí nadaba a flor del agua y el alacrán cantaba de contento. Cuando iban por la mitad del río el alacrán comenzó a pasearse por el lomo del surubí.

–¿Qué le pasa, amigo? –preguntó el surubí.

–Nada, nada. Estoy un poco nervioso nomás.

Y siguió caminando de la cola a la cabeza y de la cabeza a la cola del surubí. Al final se quedó quieto, respiró hondo, y zas, le clavó el aguijón.

–¡Qué hizo, don alacrán! –gritó el surubí mientras comenzaba a hundirse–. ¡Vamos a morir los dos!

–¡Qué quiere que le diga –gritó el alacrán mientras se ahogaba–, no pude con mi temperamento!

NADIE ES MÁS GRANDE
QUE SU SOMBRA

—El jaguar sí que es bicho peligroso, ¿eh, don sapo?

—¿Peligroso el jaguar? No me haga reír, amigo piojo. Las veces que este sapo habrá peleado con jaguares.

—Pero son muy rápidos para el ataque.

—Eso es cierto, y no va a ser este sapo el que desmienta la rapidez del jaguar, pero peligroso... Los que sabían ser peligrosos eran los dragones.

—¿Qué hacían, don sapo?

—Uff, de todo, pero lo que más les gustaba era tener prisionera una princesa en un castillo. Eso dicen los cuentos. Claro, se ve que las princesas debían ser medio pavotas, porque siempre alguna andaba prisionera de un dragón.

–¿Usted los conoció? ¿Eran muy grandes?

–¿Se imaginan tres tigres, uno arriba del otro?

–¡Que barbaridad! ¿Así eran de grandes?

–No. Así era la boca. Imagínense el resto. Y la boca era de ese tamaño cuando estaban silbando. Si los hubieran visto cuando bostezaban... Con decirles que cuando bostezaban se volvían más peligrosos todavía.

–¡Pero, don sapo –dijo el ñandú–, cuando un bicho está bostezando nunca es peligroso!

–¿No? Déjeme que le cuente. Era una siesta muy linda y un grupo de tigres iba corriendo una carrera, dieciocho eran los tigres, si no los conté mal. Uno gritó "el que llega al fondo de esa cueva gana", y se metieron todos corriendo.

–¿Era una cueva muy honda?

–¡Qué iba a ser una cueva! ¡Era un dragón que estaba bostezando!

–¡Añamembuí! –dijo el piojo desde la cabeza del ñandú–. Este asunto de los dragones me está entusiasmando. Me gustaría jugarle una carrera a un dragón. Porque ése sí que habrá sido un bicho rápido.

–Ni falta le hacía. ¿Para qué iba a ser rápido?

–Y, digo yo, para correr al enemigo.

–No, m'hijo, el dragón no tenía enemigos.

–Entonces era un bicho buenito.

–No, no tenía enemigos porque los comía a todos.

–Bueno, pero si no eran rápidos cualquiera podía escapar.

–No tan fácil, porque largaban unas llamaradas de más de cien metros de largo. Para largar ese fuego sí que eran rápidos. Y por donde pasaban rompían todo, pisaban el monte, volteaban los árboles; ni los quebrachos les resistían un pisotón. Con decirles que los llamaban "los ingleses".

–¿Los ingleses? ¿Qué es eso, don sapo?

–Otros bichos que eran peor que los dragones para romper árboles. Aquí había quebrachos por millones, hasta que pasaron los ingleses.

–¿Eran parecidos a los dragones?

–Igual, pero distintos. Eso le cuento otro día, cuando les cuente historias de los bichos de dos patas.

–¿Y qué pasó con los dragones?

–Ahí estábamos los sapos, que no íbamos a dejar que esos dragones anduvieran atropellando.

–¿No era demasiado peligroso?

–Un poco sí, pero las ideas hay que pelearlas, y los sapos somos bichos de pelea.

–¡Pero eran muy grandes y muy malos!

–Malos sí, pero no sé si tanto como un sapo cuando se enoja. Y esa vez yo me enojé mucho.

–¿Sí, don sapo? Mire que eran muy fuertes ¡Y con esas llamaradas!

–Bah, nadie es más grande que su sombra. La cuestión era descubrirles algún punto débil, y este sapo lo encontró enseguida: eran muy soberbios.

–¿Qué quiere decir eso, don sapo?

–Quiere decir que, como eran muy fuertes, estaban seguros de que los demás eran tontos y de que el mundo estaba bien hecho así, para que ellos tuviesen todo el poder.

–¡Pero eso es ser bastante pavote, don sapo!

–¡Eso, m'hijo! ¡Eso fue lo que descubrió este sapo! Eran soberbios y pavotes. Había que correrlos para ese lado.

–¿Y usted fue y les peleó a todos juntos?

–No, chamigo, este sapo será valiente pero no tonto. Eran muchos esos dragones. Si hubieran sido unos pocos, claro que les peleaba, pero eran más de mil.

–Pero podía pelearles de a uno en uno.

–Eso fue lo que pensé. Porque un dragón contra un sapo, ¡pobre dragón!, pero me puse a sacar cálculos.

–¿Qué cálculos, don sapo?

–Un cálculo fácil. Cada pelea iba a durar un día entero. Si tenía que pelear con más de mil, iba a pasar tres años matando dragones, y eso era demasiado tiempo. Había que encontrar otra solución.

–¿La encontró, don sapo?

–La encontré. Los soberbios no conocen sus límites, y entonces se equivocan.

–¿Y qué hizo?

–Fui y los desafié a todos juntos a correr una carrera hasta un árbol muy alto que se veía a lo lejos.

–¡Pero, don sapo, los dragones le podían ganar una carrera!

–Claro que podían ganarme, pero en el medio había una trampita. Ese árbol muy alto estaba del otro lado del río. Y esa vez el Bermejo estaba crecido y enojado a más no poder.

–¿Cuál era la trampa?

–Que los dragones no sabían nadar. Y como no sabían nadar, pensaban que nadie sabía nadar.

–¿Y aceptaron la apuesta?

–Claro. Y ahí nomás empezamos a correr. Lo que me asustó un poco fue el ruido. ¿Se imaginan el ruido que hacen mil dragones corriendo?

–¡La flauta! ¿Y qué pasó?

–Corrimos y corrimos, y yo sentía el tropel de dragones que me pisaba los talones. Casi conozco el miedo esa vez, pero llegué a la orilla del río y ni les cuento el salto que pegué para zambullirme.

–¿Y los dragones?

–¿No le digo que eran pavotes? El que iba primero gritó: "Atrás del sapo", y se tiraron todos de cabeza. Nunca más se los vio por estos pagos.

–Y usted, don sapo, ¿qué hizo?

–¿Qué iba a hacer? Terminé de cruzar el río y me fui a los saltos hasta el árbol alto, porque la apuesta era hasta ahí. Nadie va a andar diciendo que este sapo deja las cosas a medio hacer.